NATIONAL GEOGRAPHIC KiDS

Bizarre mais vrai!

LES SPORTS

NATIONAL
GEOGRAPHIC
KiDS

Bizarre mais vrai!

LES SPORTS

300 faits renversants
sur les sports

OSERAIS-TU?

TU PEUX FAIRE
DU **SKI NAUTIQUE**
EN TE FAISANT
TIRER PAR
UN AVION.

LE
CHAMPION
MONDIAL DE
SCRABBLE
FRANCOPHONE NE PARLE PAS FRANÇAIS.

Plus de **1200 parties** de **billes** sont disputées pendant les quatre jours du Championnat national de billes des États-Unis.

ON A CALCULÉ QUE, SI ON PLAÇAIT EN FILE
PENDANT UN MATCH DE LA LIGUE MAJEURÉ DE BASEBALL, LA

LE CANADA ET

Une bicyclette qui avance à 13 km/h (8 mi/h) continuera à rouler... même s'il n'y a personne dessus!

TOUS LES HOT-DOGS MANGÉS EN UNE ANNÉE
FILE SERAIT À MOITIÉ AUSSI LONGUE QUE LA FRONTIÈRE ENTRE

LES ÉTATS-UNIS.

LA PREMIÈRE CHAMPIONNE OLYMPIQUE AMÉRICAINE A DÛ AFFRONTER SA PROPRE MÈRE... ET ELLE A GAGNÉ!

RECORD DU PLUS GRAND NOMBRE DE

À L'EAU, TOUT LE MONDE!

CHIENS SUR UNE PLANCHE DE SURF = 17

PENDANT LES COURSES DE NASCAR, L'ÉQUIPE TECHNIQUE **PEUT CHANGER LES QUATRE PNEUS ET** REMPLIR LE RÉSERVOIR **EN MOINS DE 15 SECONDES.**

On utilise le même matériel pour fabriquer les **vestes pare-balles** et les **bâtons de hockey.**

LES GAGNANTS D'UNE COMPÉTITION DE *PAALZITTEN* (SÉJOUR SUR MÂT) SONT RESTÉS ASSIS 87 HEURES ET 52 MINUTES TOUT EN HAUT D'UN MÂT, N'EN DESCENDANT QUE POUR ALLER AUX TOILETTES.

Un joueur de basketball professionnel a reçu une amende de **25 000 $** parce qu'il avait lancé son **protège-dent** dans les estrades.

Le **cure-dent** d'un joueur de baseball, vieux de plusieurs dizaines d'années, s'est vendu **440 $** aux enchères.

LE **CENTRE AQUATIQUE** CONSTRUIT POUR LES **JEUX OLYMPIQUES DE LONDRES** DE 2012 A UN **TOIT EN FORME DE RAIE.**

VRAIE RAIE!

EN THAÏLANDE, LE COMBAT DE CERFS-VOLANTS EST UN SPORT NATIONAL.

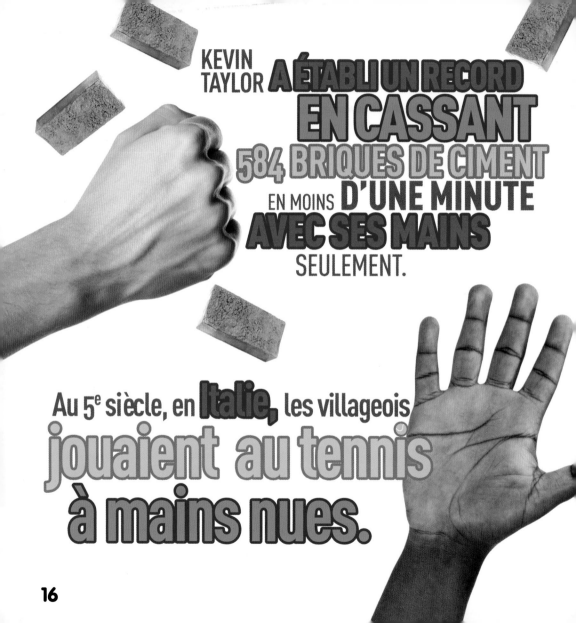

KEVIN TAYLOR **A ÉTABLI UN RECORD EN CASSANT 584 BRIQUES DE CIMENT** EN MOINS **D'UNE MINUTE AVEC SES MAINS** SEULEMENT.

Au 5e siècle, en **Italie,** les villageois **jouaient au tennis à mains nues.**

QUEL EST LE RECORD **DU PLUS GRAND NOMBRE DE DALLES DE PATIO EN CIMENT CASSÉES** D'UN SEUL COUP DE **COUDE?**

17

IL A FALLU **MOINS** D'UNE HEURE À UN HOMME SUR UN **BÂTON SAUTEUR** POUR MONTER LES **1 899 MARCHES** DE LA **TOUR CN** EN ONTARIO, AU CANADA.

LES SPORTIFS QUI MAÎTRISENT LE **BÂTON SAUTEUR** EXTRÊME **SAUTENT SI HAUT** QU'ILS PEUVENT FAIRE DES CULBUTES.

TES CHANCES DE SÉLECTIONNER CORRECTEMENT LES ÉQUIPES QUI PARTICIPERONT AU **CHAMPIONNAT NCAA DE BASKETBALL** SONT D'ENVIRON 1 SUR **9 200 000 000 000 000 000.**

L'ATHLÈTE UKRAINIEN SERGE BUBKA A BATTU LE RECORD MONDIAL MASCULIN DU SAUT À LA PERCHE **(Y COMPRIS LE SIEN!)** 35 FOIS PENDANT SA CARRIÈRE.

LE CHESSBOXING
EST UN SPORT QUI COMBINE
SIX ROUNDS D'ÉCHECS
ET CINQ ROUNDS
DE BOXE.
(POUR GAGNER, IL FAUT FAIRE ÉCHEC ET MAT OU UN K.-O.)

UNE ENTREPRISE S'EST INSPIRÉE DES **NAGEOIRES PECTORALES** DE LA **BALEINE À BOSSE** POUR FABRIQUER DES **PALMES DE PLONGÉE.**

AU YORKSHIRE DU NORD, EN ANGLETERRE, ON **ENTRAÎNE DES LAPINS À SAUTER DES HAIES** POUR LA **COURSE NATIONALE DE LAPINS.**

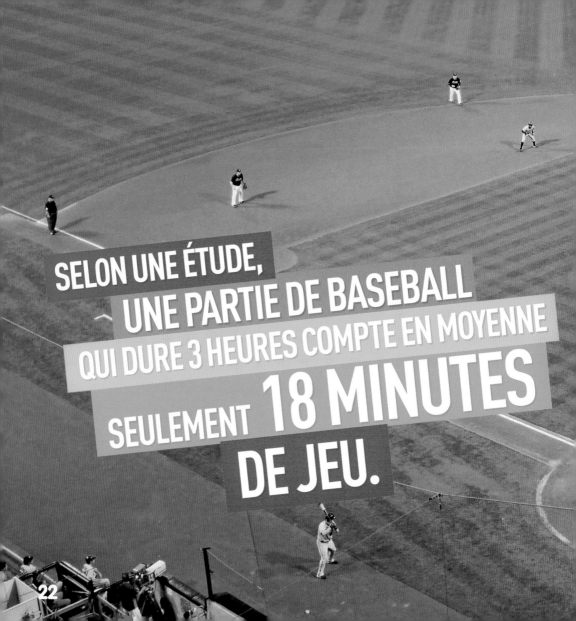

SELON UNE ÉTUDE,
UNE PARTIE DE BASEBALL
QUI DURE 3 HEURES COMPTE EN MOYENNE
SEULEMENT 18 MINUTES
DE JEU.

Les balles de tennis sont recouvertes de feutre pelucheux : elles voyagent plus vite et sont plus faciles à contrôler ainsi.

CERTAINES PARTIES DE HOCKEY SONT DISPUTÉES SUR DES MONOCYCLES.

QUAND LES **JEUX OLYMPIQUES D'ÉTÉ** SE DÉROULENT AU SUD DE L'ÉQUATEUR, **C'EST L'HIVER** DANS LE PAYS HÔTE.

BRYAN CLAY,
MÉDAILLÉ D'OR
OLYMPIQUE,

A ARRACHÉ LA DENT
BRANLANTE
DE SA FILLE

EN L'ATTACHANT À SON
JAVELOT
AVANT DE LE
LANCER.

À ses débuts,
le *ballet*
était une
imitation
sans armes de
l'escrime.

25

Les draisiennes,
les premières
bicyclettes,
n'avaient pas de pédales.

27

Michael Jordan, cinq fois nommé **JOUEUR LE PLUS UTILE DE LA NBA,** a été retranché de l'équipe de basketball de son école secondaire.

UN ARCHITECTE A DESSINÉ LES PLANS
D'UN TERRAIN DE TENNIS SOUS-MARIN

QU'IL VOULAIT FAIRE
CONSTRUIRE AU LARGE
DE DUBAÏ, AUX ÉMIRATS
ARABES UNIS.

UN CASCADEUR EN MOTO A DÉJÀ TRAVERSÉ UN PONT DU TEXAS, AUX ÉTATS-UNIS, EN PASSANT SUR L'ARCHE, HAUTE DE PLUS DE SEPT MÈTRES. (24 pi)

AUX JEUX OLYMPIQUES DE LA GRÈCE ANTIQUE, ON LANÇAIT **LE JAVELOT À DOS DE CHEVAL.**

31

On a organisé
des joutes équestres
pendant plus de
400 ans
en Europe,
mais il ne reste
aujourd'hui que
200 jouteurs
de compétition
dans le monde.

LES CRIS
DE L'ÉTOILE
DU TENNIS
MARiA
SHARAPOVA,
QUAND ELLE FRAPPE UNE BALLE,
ONT ATTEINT
101 DÉCIBELS.
C'EST AUSSI FORT QU'UNE
MOTOCYCLETTE.

AU FENWAY PARK DE BOSTON (MASSACHUSETTS), AUX ÉTATS-UNIS, LES PARTISANS AVALENT ENVIRON

1 000 sacs de Cracker Jack

PAR PARTIE DE BASEBALL.

CHAQUE ANNÉE, À COXHEATH, AU ROYAUME-UNI, IL Y A UNE COMPÉTITION OÙ DES ÉQUIPES

DE GENS COSTUMÉS SE LANCENT DES
TARTES À LA CRÈME.

La championne féminine de **lancer du marteau** a envoyé son projectile à **81,08 mètres.** (266 pi) C'est plus de **quatre fois** la longueur d'une **piste de quilles!**

UNE
MONTGOLFIÈRE

EST DÉJÀ MONTÉE À

21 031 MÈTRES.
(69 000 pi)

C'EST ENVIRON

25 FOIS LA HAUTEUR DU PLUS GRAND IMMEUBLE AU MONDE.

★★★★★
AU NATIONALS PARK,
À WASHINGTON, D.C., AUX ÉTATS-UNIS,
**LES PARTISANS PEUVENT
COMMANDER
UN HAMBURGER DE
3,5 KILOS;** (8 lb)
C'EST AUSSI LOURD QU'UNE PETITE
BOULE DE QUILLES.
★★★★★★★★★★★★

Les médailles d'or olympiques ne sont pas vraiment en or. (Elles sont surtout composées d'argent.)

Une religieuse assise dans les estrades a déjà attrapé le ballon pendant un match de football.
Dieu merci!

14 625 =
le plus grand nombre de trous
de **golf**
joués par une personne en une seule année.

Au Portugal, quelqu'un a déjà **surfé** sur une **vague** plus haute qu'un édifice de six étages.

EN MOYENNE, UNE ÉQUIPE DE LA NFL FAIT LAVER **2 500 KILOS** (5 500 lb) DE LINGE SALE PAR SEMAINE.

Oui, on peut jouer au soccer en patins à roulettes.

Des **balles de baseball** ont frappé le mur du champ gauche du Fenway Park si fort qu'on peut y voir la **marque des coutures.**

POUR LE TRIATHLON IRONMAN, LES ATHLÈTES NAGENT 3,9 KM, (2,4 mi) ROULENT À VÉLO SUR 180 KM (112 mi) ET COURENT UN MARATHON COMPLET DE 42 KM. (26,2 mi)

À Boulder (Colorado), aux États-Unis, il y a une journée spéciale pendant laquelle les gens se rendent au bureau en descendant un cours d'eau sur des chambres à air.

LES ANCIENS ÉGYPTIENS FAISAIENT DE L'ESCRIME AVEC DES BÂTONS.

LE CHAMPION DE BOXE DANNY GARCIA COURAIT APRÈS DES POULETS DANS L'ARÈNE POUR AIGUISER SES RÉFLEXES.

UN GARÇON DE 14 ANS A DÉCOCHÉ UNE FLÈCHE À UNE DISTANCE DE QUATRE TERRAINS DE FOOTBALL ET DEMI.

Le stade des White Sox de Chicago vend une **banane royale** qui compte **12 boules** de crème glacée, servie dans un **casque de baseball** grandeur nature.

LE BIATHLON,
UN SPORT QUI COMBINE DES ÉPREUVES DE
SKI ET DE **TIR SUR CIBLE,**
FAISAIT AU DÉPART PARTIE DE L'ENTRAÎNEMENT
DES SOLDATS NORVÉGIENS.

Lorsqu'ils essaient de nouvelles figures, les plongeurs utilisent une machine à bulles pour « adoucir » la surface de l'eau.

Les joueurs de badminton professionnel peuvent faire voyager **un volant à**

322 km/h.

(200 mi/h)

UN VOLANT COMPTE **16 PLUMES** D'OIE, TOUJOURS PRISES SUR L'AILE GAUCHE DE L'OISEAU.

UN PIÉTON DÉPENSE SIX FOIS PLUS D'ÉNERGIE QU'UN CYCLISTE POUR AVANCER À LA MÊME VITESSE.

Un homme fort de la Grande-Bretagne a fait tenir sur sa tête des lits superposés, des réfrigérateurs et même des automobiles.

LES DENTS

DE TY COBB, UNE ÉTOILE DU

BASEBALL,

ONT ÉTÉ VENDUES AUX ENCHÈRES POUR

7475 $.

Les joueurs de hockey professionnel

peuvent recevoir une

pénalité s'ils glissent leur maillot dans leur culotte.

LE TROPHÉE
ORIGINAL DE LA
**COUPE DU MONDE
DE SOCCER** A ÉTÉ
VOLÉ ET N'A JAMAIS
ÉTÉ RETROUVÉ.

TURK WENDELL, LANCEUR DE LA LIGUE MAJEURE DE BASEBALL, SE BROSSAIT LES DENTS ENTRE LES MANCHES.

PENDANT LE CAMP D'ENTRAÎNEMENT, LE **BOXEUR** MANNY PACQUIAO FAISAIT EN MOYENNE **2 500** REDRESSEMENTS ASSIS PAR JOUR.

Une « **course de crêpes** » est organisée chaque année dans la ville **d'Olney,** au Royaume-Uni. Les coureurs doivent **transporter** des **crêpes** dans une poêle en les **retournant.**

En gymnastique, un **rebond** sur le dos ou le ventre avec rotation transversale s'appelle un **kaboom.**

51

PUISQUE
LES GROTTES DE GLACE
CHANGENT
CONSTAMMENT DE FORME,

LES SPÉLÉOLOGUES N'EXPLORENT JAMAIS DEUX FOIS LA MÊME GROTTE.

Un homme du Texas, aux États-Unis, **joue au golf avec un bâton** plus long que **deux petites voitures.**

6,2 mètres (20,5 pi)

UN BRITANNIQUE A DÉJÀ SOULEVÉ UNE PILE DE LIVRES PESANT PLUS DE 16 KILOS (35 lb) AVEC SON ORBITE.

54

UNE FEMME A ÉTABLI UN **RECORD MONDIAL** EN **LANÇANT UN ROULEAU À PÂTE** À UNE DISTANCE ÉGALE À PLUS DE LA MOITIÉ D'UN **TERRAIN DE SOCCER PROFESSIONNEL.**

Un joueur de hockey a autographié le **sandwich** au **fromage fondu** d'un admirateur, qui en avait déjà pris une bouchée.

Un Slovène a **parcouru à vélo** plus de **900 km** (560 mi) en **24 heures.**

C'est comme s'il avait fait **21 marathons** à vélo en une seule journée!

55

Le fauteuil roulant

de Lonnie Bissonnette, un amateur de sauts extrêmes, est doté de son propre parachute.

Plusieurs **cyclistes** professionnels roulent l'équivalent de **dix trajets** entre New York et Los Angeles en une année.

EN **2014,** ON POUVAIT VOIR DE L'ESPACE L'ÉCLAIRAGE **DES STADES** OÙ SE DÉROULAIT LA **COUPE DU MONDE.**

PITTSBURGH,
EN PENNSYLVANIE,

EST LA SEULE VILLE AMÉRICAINE DONT TOUTES LES ÉQUIPES DE SPORT **PROFESSIONNEL PORTENT LES MÊMES COULEURS (NOIR ET OR).**

UN MARATHONIEN DE L'AUSTRALIE S'EST DÉJÀ FAIT ACCOMPAGNER, PENDANT UNE COURSE, PAR UN SERVITEUR À VÉLO QUI PORTAIT DE LA NOURRITURE ET DE L'EAU.

57

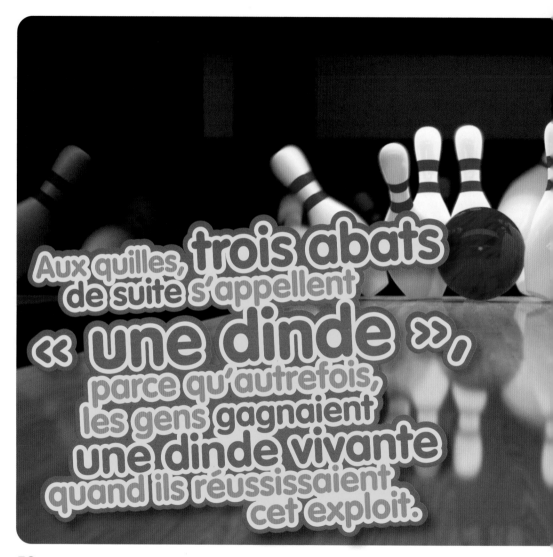

Aux quilles, **trois abats** de suite s'appellent **« une dinde »**, parce qu'autrefois, les gens gagnaient une dinde vivante quand ils réussissaient cet exploit.

59

AU **GOLF À L'ARC,** LES JOUEURS FRAPPENT LES BALLES AVEC UNE **FLÈCHE** PLUTÔT QU'AVEC **UN BÂTON.**

UN GARÇON DE 11 ANS A DÉJÀ FAIT 84 BARANIS (SALTOS AVANT AVEC DEMI-VRILLE) **EN UNE MINUTE SUR UN TRAMPOLINE.**

LE PLUS GRAND TOURNOI MONDIAL DE « ROCHE-PAPIER-CISEAUX » A RÉUNI **2 950** PARTICIPANTS.

Chaque fois que les Mets de New York frappent un circuit, une pomme rouge de 2 177 kilos (4 800 lb) surgit de derrière la clôture du champ centre.

LA FLAMME OLYMPIQUE EST ALLÉE DANS L'ESPACE.

Certains kayakistes préfèrent utiliser une baignoire.

WILT CHAMBERLAIN, UN JOUEUR DE BASKETBALL,

A DÉJÀ MARQUÉ **100 POINTS EN UNE SEULE PARTIE.**

EN THAÏLANDE, DES **ÉLÉPHANTS** ONT APPRIS À **JOUER AU BASKETBALL.**

UN **TROUPEAU DE VACHES** A TRAVERSÉ LA ROUTE DEVANT LES CYCLISTES PENDANT LE TOUR DE FRANCE EN 2015.

LA PROBABILITÉ QU'UN GOLFEUR AMATEUR FASSE UN TROU D'UN COUP EST DE 0,00008 %.

UN BELGE DE **NEUF ANS** A FAIT

1 321 ROUES

EN MOINS DE

38 MINUTES.

LA LUTTE AU POULPE

ÉTAIT AUTREFOIS UN SPORT POPULAIRE À TACOMA (WASHINGTON), AUX ÉTATS-UNIS.

DANS L'ÉTAT AMÉRICAIN DE L'OREGON, ON ORGANISE UNE DRÔLE DE COURSE : IL FAUT CONDUIRE UNE VOITURE FORD MODÈLE T EN TENANT UN **COCHON QUI COUINE.**

Une entreprise japonaise a mis au point un **robot** humanoïde qui peut **frapper du pied** un ballon de soccer.

69

AU TOURNOI DE WIMBLEDON, UN PROFESSIONNEL A DÛ **CHANGER** SES **CHAUSSURES DE TENNIS** AUX **SEMELLES ORANGE** PARCE QUE LA POLITIQUE DU TOURNOI EXIGEAIT LE BLANC.

Après ses trois **victoires à Wimbledon,** un joueur de tennis professionnel serbe a mangé le **gazon** du terrain pour célébrer l'événement.

54 250 = NOMBRE DE BALLES UTILISÉES

TOUTES **LES BALLES** UTILISÉES PENDANT LE TOURNOI ANNUEL DE TENNIS DE WIMBLEDON, À LONDRES, EN ANGLETERRE, SONT CONSERVÉES À EXACTEMENT **20°C.** (68 °F)

PENDANT LE TOURNOI DE WIMBLEDON.

LE HOCKEY SUR GLACE A DÉJÀ ÉTÉ UNE ÉPREUVE DES JEUX OLYMPIQUES D'ÉTÉ.

Des scientifiques ont conçu un **coussin gonflable** pour les skieurs qui se déploie en cas de **chute** sur la pente.

Avant les meneuses de claque, il y avait **les meneurs de claque.**

Aux **Jeux olympiques** de 1988 et de 1992, les **skieurs acrobatiques** faisaient **des sauts, des pirouettes et des mouvements de danse** sur de la musique tout en dévalant la pente.

En 1914 un chien appelé Toots est devenu célèbre parce qu'il jouait au billard avec son nez.

PENDANT LA **MÉGAVALANCHE,** UNE COURSE DE **VÉLOS TOUT-TERRAIN** ORGANISÉE DANS LES ALPES FRANÇAISES, QUELQUE 2 700 CYCLISTES DÉVALENT UNE PISTE DE 3,3 KM SUR LA PENTE SUPER GLISSANTE D'UN **GLACIER.**

(2 mi)

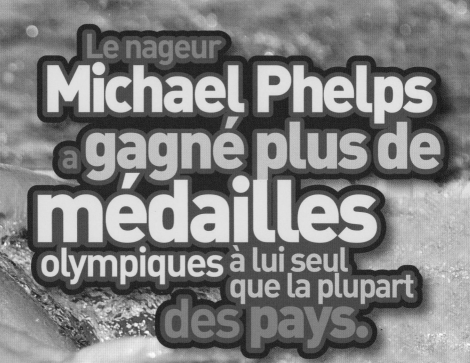

Le nageur Michael Phelps a gagné plus de médailles olympiques à lui seul que la plupart des pays.

77

11 HEURES =

DURÉE DU PLUS LONG MATCH DE LUTTE DE L'HISTOIRE

DES JEUX OLYMPIQUES.

Les balles utilisées par la **ligue majeure de baseball** sont frottées de **boue** avant chaque partie. Cette boue vient d'un **endroit très précis** au New Jersey, aux États-Unis.

CET ENDROIT EST GARDÉ SECRET.

Un motocycliste a déjà fait un **cabré,** assis sur **le guidon,** alors qu'il roulait **à 174 km/h.** (108 mi/h)

UN PRODUCTEUR DE POMMES DE TERRE AUSTRALIEN DE 61 ANS A DÉJÀ GAGNÉ UN **ULTRAMARATHON DE 875 KM;** (543,7 mi) IL S'ÉTAIT SURTOUT ENTRAÎNÉ CHAUSSÉ DE SES BOTTES DE PLUIE.

À Moscou, en Russie, on tient des **Jeux olympiques** pour les cochons : des **porcelets** doivent traverser une **piscine** à la nage, disputer une partie de **ballon** puis faire la **course**.

Des amateurs de **patin à roues alignées** et de **planche à roulettes** se servent d'une **voile** pour rouler à toute vitesse sur le sable, la neige, la glace, l'asphalte ou le lit d'un lac asséché.

JOGGLER = FAIRE DU JOGGING TOUT EN JONGLANT AVEC AU MOINS TROIS BALLES.

LE PARCOURS DE GOLF LE PLUS LONG DU MONDE S'ÉTEND SUR **1 365 KM** (848 mi) ET SUR DEUX **FUSEAUX HORAIRES.**

170 SKIEURS ONT CHAUSSÉ ENSEMBLE **LES SKIS** LES PLUS LONGS DU MONDE, **QUI MESURAIENT** (1 820 pi) **555 MÈTRES.**

UN MANGEUR DE COMPÉTITION SURNOMMÉ **MEGATOAD** A ÉTABLI UN RECORD MONDIAL EN AVALANT **182 TRANCHES DE BACON** EN **CINQ MINUTES.**

UN GARDIEN DE BUT QUI A REMPORTÉ LA COUPE DU MONDE A ASSURÉ SES MAINS POUR PLUS DE **QUATRE MILLIONS DE DOLLARS.**

Un Belge a enfilé l'un par-dessus l'autre **75** casques de bain : c'est un record mondial.

IL FAUT PARFOIS SUSPENDRE LES PARTIES DE **BASEBALL DE FIN DE JOURNÉE AU STADE** DE PITTSFIELD (MASSACHUSETTS), AUX ÉTATS-UNIS, PARCE QU'IL FAIT **FACE À L'OUEST** ET QUE LES FRAPPEURS SONT **AVEUGLÉS** PAR LE SOLEIL.

Fauja Singh a couru un **marathon** entier à l'âge de **101 ans.**

AU SOCCER, LES CARTONS JAUNES ET ROUGES SONT INSPIRÉS DES COULEURS DES FEUX DE CIRCULATION.

L'équipe de soccer **bulgare** qui a participé à la **Coupe du monde de 1994** comptait uniquement des **joueurs** dont le nom de famille se terminait par les lettres **OV.**

On a déjà disputé une partie de basketball universitaire sur un porte-avion.

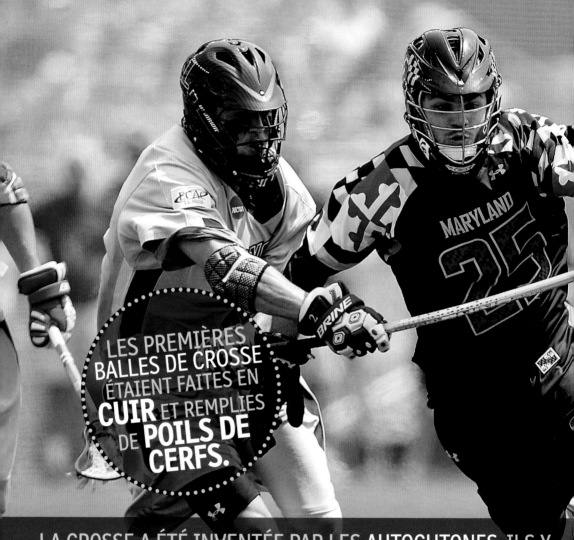

LES PREMIÈRES BALLES DE CROSSE ÉTAIENT FAITES EN **CUIR** ET REMPLIES DE **POILS DE CERFS.**

LA CROSSE A ÉTÉ INVENTÉE PAR LES **AUTOCHTONES.** ILS Y

AU 17ᵉ SIÈCLE, LES PARTIES DE CROSSE POUVAIENT RÉUNIR DES CENTAINES DE JOUEURS SUR UN TERRAIN LARGE DE 1,6 KM. (1 mi)

JOUAIENT POUR RÉGLER DES **DIFFÉRENDS** ENTRE LES TRIBUS.

AUTREFOIS, **LES BALLES DE TENNIS** ÉTAIENT BLANCHES OU NOIRES. ON A COMMENCÉ À UTILISER DES BALLES JAUNES PARCE QUE LES **TÉLÉSPECTATEURS** LES VOYAIENT MIEUX.

POUR QUE LES JOUEURS PUISSENT SE **REPOSER** ENTRE LES ENTRAÎNEMENTS, ON A INSTALLÉ, À CÔTÉ DU TERRAIN D'UNE ÉQUIPE DE SOCCER GALLOISE, **30 MODULES GONFLABLES INDIVIDUELS** ASSEZ GRANDS POUR CONTENIR UN LIT.

Au soccer, donner un coup de pied sur le tibia d'un adversaire **EST ILLÉGAL** depuis 1865.

CHAQUE ANNÉE, DES MILLIERS DE **NUDISTES** FONT UNE **RANDONNÉE À VÉLO** À PORTLAND (OREGON), AUX ÉTATS-UNIS.

LE PLUS GRAND NOMBRE DE PERSONNES DANS UN CANOT?

143

ON A **CLONÉ DES CHEVAUX DE COURSE** ULTRAPERFORMANTS.

Une Britannique a **parcouru sous l'eau** l'équivalent de deux terrains de soccer **sans remonter à la surface** pour respirer.

POUR DORMIR, CERTAINS ALPINISTES ACCROCHENT LEUR TENTE À LA PAROI D'UNE FALAISE

DEUX HOMMES ONT ESCALADÉ UNE PAROI VERTICALE DE

914 (3 000 pi) **MÈTRES**

AVEC SEULEMENT LEURS MAINS ET LEURS PIEDS, ET QUELQUES ARTICLES DE SÉCURITÉ.

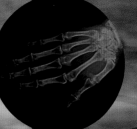

LES GRIMPEURS ONT SOUVENT LES OS DES DOIGTS PLUS ÉPAIS QUE LES AUTRES PERSONNES.

IL EST POSSIBLE DE TRANSFORMER UNE CAUSEUSE
EN BICYCLETTE.

UN BANC DE POISSONS A BONDI HORS D'UN LAC ET ATTERRI DANS L'EMBARCATION D'UNE ÉQUIPE UNIVERSITAIRE D'AVIRON DU MISSOURI, AUX ÉTATS-UNIS.

Aux Jeux olympiques de 1904, un **marathonien** **s'est arrêté dans un** **verger** pour cueillir des pommes... Il a quand même terminé **quatrième.**

UN **ULTRA-** MARATHONIEN

A PARCOURU LES **3 523 KM** (2 189 mi) DU **SENTIER** DES **APPALACHES**

EN **46 JOURS,** **8 HEURES** ET **7 MINUTES.** (C'EST PLUS DE (47 mi) 76 KM PAR JOUR!)

Au ballon-chasseur sur trampoline, les joueurs rebondissent même sur les murs.

Reggie Miller, un joueur de basketball professionnel, a déjà marqué **8** points en **9** secondes.

UN JOUEUR DE TENNIS ÉTOILE A DÉJÀ DISPUTÉ UNE PARTIE SOUS LA PLUIE, TENANT UN **PARAPLUIE** D'UNE MAIN ET SA **RAQUETTE** DE L'AUTRE.

Le **golf** est le seul sport auquel on a déjà joué sur la **Lune**.

99

PACU JAWI= SPORT **INDONÉSIEN** DE « **SKI DE BOUE** » DANS DES **RIZIÈRES INONDÉES,** OÙ DES **JOCKEYS EN ÉQUILIBRE** SUR UNE **CHARRUE** SONT TIRÉS PAR **DEUX** TAUREAUX.

UN **ITALIEN** ADEPTE DE **CYCLISME** SOUS-MARIN A FAIT DU VÉLO À **66** MÈTRES (218 pi) SOUS LA **SURFACE** DE L'OCÉAN.

La plus grande démonstration de claque au monde comptait 1 278 participants.

Le plus haut saut extrême avait comme point de départ le sommet du **mont Everest,** à **7 220** mètres (23 688 pi) au-dessus du niveau de la mer.

Luke Ridnour, un joueur de la NBA, a fait partie de quatre équipes différentes en seulement **25 heures.**

LES **FAUCONNIERS** METTENT DES **CAPUCHONS** SUR LA TÊTE DE LEURS **OISEAUX** QUAND ILS NE CHASSENT PAS.

DEPUIS **2 000 ANS,** LES **KAZAKHS,** UN PEUPLE DE MONGOLIE, CHASSENT À L'AIDE **D'AIGLES ROYAUX.**

104

Deux personnes ont établi un **record** de distance de vol en deltaplane : elles ont **volé** sur plus de **756 km** (470 mi) au-dessus du Texas, aux États-Unis, sans s'arrêter.

105

, AU TRIATHLON « ÉVASION D'ALCATRAZ »,

EN CALIFORNIE, AUX ÉTATS-UNIS, LES COMPÉTITEURS DOIVENT SAUTER D'UN BATEAU ET TRAVERSER À LA NAGE LA BAIE DE SAN FRANCISCO. CETTE COURSE EST INSPIRÉE D'ÉVASIONS RÉELLES.

Les nouveaux diplômés
d'une université
du Vermont, aux États-Unis,
**descendent
une pente à ski**
avec **leur toge et leur mortier.**

LE JOUEUR DE BASEBALL WILLIE MCCOVEY A RÉUSSI UN COUP DE CIRCUIT EN ENVOYANT LA BALLE DANS UNE PISCINE PUBLIQUE, AU PARC JARRY, À MONTRÉAL.

Plus de 1 000 compétiteurs participent aux championnats mondiaux de yo-yo.

LES ORGANISATEURS DES JEUX OLYMPIQUES DE SOTCHI, EN RUSSIE, AVAIENT AMASSÉ tellement de neige artificielle QU'ON POUVAIT LA VOIR DE L'ESPACE.

Mean Mower

est la **tondeuse à gazon** la plus rapide du monde. Elle peut atteindre (116 mi/h) **187 km/h...** mais pas sur le gazon.

HONDA

www.honda.co.uk

CERTAINS CADDIES DE GOLF PROFESSIONNEL GAGNENT JUSQU'À **UN MILLION DE DOLLARS** PAR SAISON.

UNE JOUEUSE DE WATERPOLO AUSTRALIENNE **COLLE SA** **GOMME À MÂCHER** SOUS UNE CHAISE OU SOUS UN BUT **AVANT CHAQUE MATCH.**

Le **volant** d'une **voiture de Formule 1** compte plus de **35 boutons,** leviers, voyants, cadrans et interrupteurs.

VOICI QUELQUES-UNES DES **MASCOTTES** DE LA COUPE DU MONDE : UN **BONHOMME** FAIT DE CUBES, UNE **ORANGE** SOURIANTE, UN **PIMENT** COIFFÉ D'UN SOMBRERO ET UN **TRIO** D'EXTRATERRESTRES.

EN GYMNASTIQUE, LA POUTRE

C'EST ENVIRON LA LARGEUR

MESURE SEULEMENT 10 CM DE LARGE;

(4 po)

D'UNE BRIQUE.

UN AUTOMOBILISTE A PARCOURU 1,87 KM (1,16 mi) EN DEUX MINUTES ET DIX SECONDES... EN ROULANT SEULEMENT SUR LES DEUX ROUES DE DROITE.

UN RAMEUR A PERDU SA MÉDAILLE D'OR OLYMPIQUE AU FOND D'UNE RIVIÈRE BOUEUSE APRÈS AVOIR SAUTÉ À L'EAU POUR CÉLÉBRER SA VICTOIRE.

Un ours polaire du zoo de San Diego a appris à dribler un ballon de basket sous l'eau.

Usain Bolt, l'homme le plus rapide au monde, mangeait en moyenne **100 pépites de poulet par jour** pendant les Jeux olympiques de Beijing, et il y a gagné **trois médailles d'or.**

Au tennis, un pointage nul se dit « love », une déformation anglaise du mot œuf.

Certains des premiers **surfeurs** britanniques chevauchaient les **vagues** sur des **couvercles de cercueils.**

MASCOTTES LOUFOQUES

LE CORNICHON ARMÉ =
ÉCOLE DES BEAUX-ARTS DE L'UNIVERSITÉ DE LA CAROLINE DU NORD, ÉTATS-UNIS.

LE TROLL =
COLLÈGE TRINITY, ILLINOIS, ÉTATS-UNIS.

L'ARBRE =
UNIVERSITÉ STANFORD, CALIFORNIE, ÉTATS-UNIS.

LE DIACRE DIABOLIQUE =
UNIVERSITÉ WAKE FOREST, CAROLINE DU NORD, ÉTATS-UNIS.

LA LIMACE-BANANE =
UNIVERSITÉ DE CALIFORNIE, SANTA CRUZ, CALIFORNIE, ÉTATS-UNIS.

UNE FEMME A ÉTABLI UN RECORD EN ÉCRASANT **DIX POMMES** AVEC SES **BICEPS** EN UNE MINUTE!

À SAN FRANCISCO (CALIFORNIE), AUX ÉTATS-UNIS, il y a un **terrain** spécial où les gens peuvent jouer au **polo** à bicyclette.

Le record de vitesse pour un **boomerang** est de **100 km/h.** (62 mi/h) C'est aussi rapide qu'une automobile sur l'autoroute.

EN AFRIQUE DU SUD,
TU PEUX ASSISTER À DES
COURSES D'AUTRUCHES.

LE **TROPHÉE** REMIS AUX VAINQUEURS D'UN **TOURNOI DE TENNIS,** AU MEXIQUE, A LA FORME D'UNE **POIRE** GÉANTE.

AU JEU **INDIEN** DE *KABADDI,*

UN « **ATTAQUANT** » DOIT **TOUCHER** LES JOUEURS DE L'ÉQUIPE ADVERSE TOUT EN **RÉPÉTANT** LE MOT KABADDI SANS REPRENDRE SON SOUFFLE.

CERTAINS AMATEURS DE HOCKEY LANCENT DES POISSONS MORTS, DES PIEUVRES, DES MORCEAUX DE BŒUF ET DES RATS EN CAOUTCHOUC SUR LA GLACE QUAND LEUR ÉQUIPE MARQUE UN BUT.

Il y a eu des compétitions de bateaux à moteur pour la première et la dernière fois aux Jeux olympiques de 1908.

AU TRAMPOLINE OLYMPIQUE, LES CONCURRENTS BONDISSENT JUSQU'À **10 MÈTRES** DANS LES AIRS. C'EST AUSSI HAUT QU'UN AUTOBUS SCOLAIRE EST LONG.
(33 pi)

123

Dans une **course** professionnelle de **bateaux-dragons,** les rameurs peuvent parcourir en seulement deux minutes une distance équivalant à **quatre terrains de football et demi.**

La **durée de vie** moyenne d'un **ballon de basket de la NBA** est d'environ **10 000** rebonds.

EN CALIFORNIE, AUX ÉTATS-UNIS, **66 PERSONNES** SE SONT TENUES EN MÊME TEMPS SUR UNE **PLANCHE DE SURF** GÉANTE PENDANT 13 SECONDES POUR ÉTABLIR UN RECORD MONDIAL.

Chaque année, au pays de Galles, se tient l'événement Man vs. Horse, où des gens essaient de battre des chevaux à la course sur plus de 32 km à travers les collines.

(20 mi)

Dans un concours de **bombes,** il faut sauter dans l'eau à partir d'une plateforme en faisant **le plus d'éclaboussures** possible.

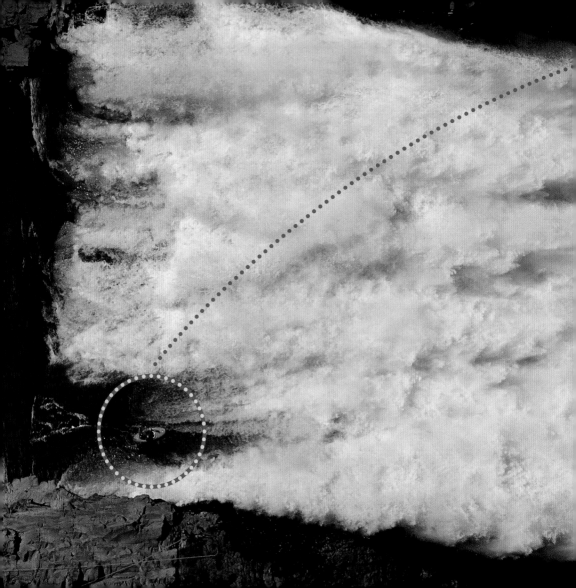

UN AMATEUR DE KAYAK EXTRÊME A ÉTABLI UN RECORD EN DÉVALANT UNE CHUTE D'EAU HAUTE DE 18 ÉTAGES... SANS PERDRE LA VIE!

Un **chat errant** (qui a depuis été adopté) a fait un saut record de **1,8 mètre.** (6 pi) C'est le plus long saut jamais fait par un félin.

LE PLUS LONG MATCH DE TENNIS PROFESSIONNEL A DURÉ 11 HEURES ET 5 MINUTES, SUR **3 JOURS.**

Les gens de Lake Tomahawk (Wisconsin), aux États-Unis, jouent au baseball en raquettes... pendant l'été.

DEUX HOMMES ONT ÉTABLI UN RECORD MONDIAL EN SE LANÇANT UN

BALLON DE VOLLEYBALL

GONFLABLE

GÉANT

583 FOIS

SANS L'ÉCHAPPER.

ON JOUAIT AUX **QUILLES 3 200 ANS** AVANT NOTRE ÈRE

PENDANT TOUTE UNE SAISON, UN JOUEUR DE BASKET A MANGÉ UN

SANDWICH AU BEURRE D'ARACHIDE ET À LA CONFITURE

EXACTEMENT 55 MINUTES AVANT CHAQUE PARTIE.

CERTAINS ATHLÈTES PORTENT UN PROTÈGE-DENT AU GOÛT DE JUS DE FRUITS.

Certains **rouliplanchistes** s'entraînent dans des **piscines vides** ou dans des conduites d'eau géantes.

134

UNE PATINEUSE ARTISTIQUE DE 11 ANS A ÉTABLI UN **RECORD MONDIAL** EN TOURNANT SUR ELLE-MÊME À UNE VITESSE DE **342 RÉVOLUTIONS PAR MINUTE.**

LE « MUR DE FACE » D'UN TERRAIN DE **JAÏ ALAÏ** EST FAIT EN GRANITE.

LA **PELOTE** EST **PLUS PETITE** QU'UNE **BALLE DE BASEBALL** ET **PLUS DURE** QUE DE LA **ROCHE.**

UNE **PELOTE DE JAÏ ALAÏ** PEUT VOYAGER À PLUS DE **290 KM/H;** (180 mi/h) C'EST **PLUS RAPIDE QUE TOUTE AUTRE BALLE** DE TOUT AUTRE SPORT.

C'EST LE SEUL MATÉRIAU ASSEZ **SOLIDE** POUR RÉSISTER AU CHOC DES BALLES.

Dans une station de ski chilienne située près d'un **volcan** actif, des **coulées de lave** ont sculpté des pistes en **demi-lune**.

LA TEMPÉRATURE À L'INTÉRIEUR D'UNE VOITURE DE COURSE QUI ROULE À PLEINE VITESSE PEUT DÉPASSER LES 60 °C.

(140 °F)

LE **POINT** LE PLUS **PROFOND** DE LA **GROTTE** LA PLUS **PROFONDE** SUR **TERRE,** EST SURNOMMÉ **GAME OVER** (FIN DE PARTIE) PAR LES SPÉLÉOLOGUES.

Au baseball, le **marbre** était autrefois rond et en **fer.**

Une Néo-Zélandaise a établi un record du monde en courant le **100 mètres haies** chaussée de **palmes.**

139

LES AUSTRALIENS CÉLÈBRENT LEUR FÊTE NATIONALE **EN ORGANISANT DES COURSES DE « TOILETTES MOBILES » MONTÉES SUR DES ROUES.**

EN CAROLINE DU NORD, AUX ÉTATS-UNIS, DES GENS PARTICIPENT CHAQUE ANNÉE À UNE COURSE OÙ ILS DOIVENT **COURIR 4 KM,** (2,5 mi) **MANGER UNE DOUZAINE DE BEIGNES** ET REVENIR EN COURANT À LEUR POINT DE DÉPART.

UN CHAMPION MONDIAL DE **MARCHE RAPIDE** A ATTEINT UNE VITESSE DE **14 KM/H.** (8,8 mi/h) C'EST PLUS RAPIDE QUE **LA PLUPART DES JOGGEURS.**

Pour gagner le **concours** du **mât de cocagne,** il faut marcher le long d'un **poteau** de **téléphone,** placé à l'horizontale et bien graissé, **sans tomber** dans l'eau en **dessous.**

141

LE SKI, ATTELÉ EST UNE DISCIPLINE DANS LAQUELLE LE SKIEUR EST TIRÉ PAR UN CHEVAL LANCÉ AU GALOP.

Une **femme** est montée à **12 588 mètres** (41 300 pi) dans les airs en **montgolfière** pour ensuite s'élancer en **deltaplane.**

Tous les **joueurs de l'équipe de baseball** des **Mud Hens de Toledo** ont porté un **uniforme ressemblant à Chewbacca** pour une partie le **4 mai,** parce que c'était la **Journée Star Wars.**

Un homme du pays de Galles a parcouru **170 km** (106 mi) en **monocycle** sans s'arrêter.

Il existe **un musée d'art** qui possède une collection de **31 000 cartes de baseball.**

145

Lors d'un **marathon sous-marin** organisé en Pennsylvanie, aux États-Unis, les concurrents devaient courir sur un **tapis roulant** au fond de réservoirs remplis d'eau.

UN ALLEMAND A PARCOURU **8 596 KM** (5 341,3 mi) EN **PATINS À ROUES ALIGNÉES** EN UN PEU PLUS DE TROIS MOIS. C'EST LE PLUS LONG VOYAGE JAMAIS FAIT AINSI.

IL FAUT **300 PERSONNES** POUR JOUER AU *BO-TAOSHI*, UN SPORT JAPONAIS DANS LEQUEL ON DOIT GRIMPER EN HAUT D'UN POTEAU.

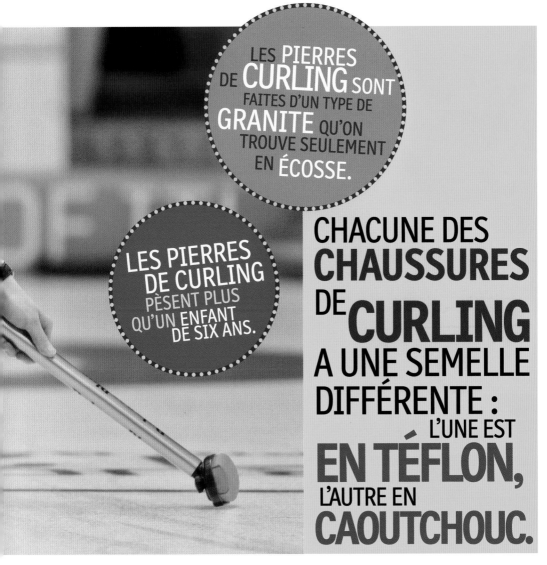

LES PIERRES DE CURLING SONT FAITES D'UN TYPE DE GRANITE QU'ON TROUVE SEULEMENT EN ÉCOSSE.

LES PIERRES DE CURLING PÈSENT PLUS QU'UN ENFANT DE SIX ANS.

CHACUNE DES CHAUSSURES DE CURLING A UNE SEMELLE DIFFÉRENTE : L'UNE EST EN TÉFLON, L'AUTRE EN CAOUTCHOUC.

Le quidditch, ce sport insolite auquel s'adonnent les sorciers de la série **Harry Potter,** est aujourd'hui pratiqué un peu partout dans le monde... sur la **terre ferme!**

En Allemagne, pendant les Olympiques de la boue, les participants font des « anges » dans la boue.

EN CHINE, UN PARTISAN DES SPURS DE SAN ANTONIO A FABRIQUÉ UN PORTRAIT DE BORIS DIAW, UN JOUEUR DE BASKETBALL, EN UTILISANT 11 750 PUNAISES.

Un gymnaste a déjà réussi à faire un double salto arrière pour atterrir dans un pantalon.

Pendant une partie de baseball au Nebraska, aux États-Unis, un partisan a gagné des **funérailles** payées... pour plus tard.

IL Y AVAIT UN TERRAIN DE SQUASH À BORD DU *TITANIC*.

Le chien **Jumpy** a roulé **100 mètres** (328 pi) sur une **planche à roulettes** en un temps record de **19,65 secondes.**

153

EXPRESSIONS SPORTIVES SURPRENANTES

PAPILLON =
STYLE DE NAGE OÙ IL FAUT OUVRIR LES DEUX BRAS EN MÊME TEMPS.

CHANDELLE =
BALLE DE BASEBALL FRAPPÉE DROIT VERS LE CIEL.

AIGLE =
TROU RÉUSSI EN TROIS COUPS SOUS LA NORMALE, AU GOLF.

BISCUIT =
GANT DE PROTECTION CARRÉ DU GARDIEN DE BUT, AU HOCKEY.

CLÉ =
NOM DE PLUSIEURS TYPES DE PRISE, À LA LUTTE.

AUX DÉBUTS DU WATERPOLO, LES JOUEURS CHEVAUCHAIENT DES BARILS DE BOIS PEINTS RESSEMBLANT À DES CHEVAUX.

PENDANT UNE **COURSE DE WOK,** LES CONCURRENTS SONT ASSIS DANS UNE GRANDE POÊLE RONDE ET DÉVALENT DES **PENTES GLACÉES** À PLUS DE **95 KM/H.** (60 mi/h)

UN JOUEUR DE BASEBALL PROFESSIONNEL A DÉJÀ ENVOYÉ **UNE BALLE À 171 MÈTRES DANS LES AIRS.** C'EST PLUS HAUT QUE (560 pi) LA TOUR SPACE NEEDLE DE SEATTLE (WASHINGTON), AUX ÉTATS-UNIS!

EN 1943, LES **Eagles** DE PHILADELPHIE ET LES **Steelers** DE PITTSBURGH ONT FUSIONNÉ, ET L'ÉQUIPE DE FOOTBALL S'EST APPELÉE LES **Steagles.**

MAIS CELA N'A DURÉ QU'UNE SAISON.

Un jour, un joueur de baseball professionnel a fait le tour du terrain en courant à l'envers pour célébrer son 100e circuit.

DES **CHAMPIONS** DE HOCKEY PROFESSIONNEL ONT DÉJÀ ASSIS LEURS **BÉBÉS** À L'INTÉRIEUR DE LA **COUPE STANLEY.**

LES **PLONGEURS** PEUVENT **GAGNER DE L'ARGENT** EN ALLANT RÉCUPÉRER LES **BALLES PERDUES** DANS LES ÉTANGS DES PARCOURS DE GOLF.

ON ÉVALUE QUE **100 MILLIONS** DE **BALLES DE GOLF** PERDUES SONT RÉCUPÉRÉES CHAQUE ANNÉE AUX ÉTATS-UNIS.

UN ITALIEN EST ARRIVÉ À TENIR DANS UNE MAIN **27 BALLES DE GOLF : C'EST UN RECORD MONDIAL.**

159

Un monocycliste adepte des sports extrêmes a pédalé sur le parapet de la Grande Muraille de Chine.

À la cérémonie d'ouverture des **Jeux olympiques** de 2006, **à Turin, en Italie,** **des athlètes** ont traversé la scène sur des **patins à roues alignées** coiffés d'un casque qui lançait des flammes.

LES PRÉSIDENTS AMÉRICAINS
FRANKLIN D. ROOSEVELT, DWIGHT EISENHOWER, RONALD REAGAN, ET GEORGE W. BUSH ONT TOUS UN JOUR ÉTÉ
MENEURS DE CLAQUE.

Le plus gros **poisson** jamais pêché avec une canne et un moulinet était un **makaire noir** qui était plus lourd qu'une **vache laitière.**

Des professionnels du tennis ont déjà disputé un match au sommet de l'un des plus hauts édifices du monde, près de 212 mètres (696 pi) au-dessus du sol.

UN HOMME
A ÉTABLI UN RECORD
AU JEU DE FLÉCHETTES,
ATTEIGNANT LE
CENTRE DE LA CIBLE
11 FOIS EN UNE
MINUTE.

UN HOMME DE L'ILLINOIS, AUX ÉTATS-UNIS, EST CAPABLE DE **JONGLER** AVEC DES **BALLES DE TENNIS** D'UNE **MAIN** TOUT EN LANÇANT **DES FLÉCHETTES** DE L'AUTRE.

UNE **FLÉCHETTE** NE DOIT PAS AVOIR **PLUS DE QUATRE AILES.**

PENDANT LE
TOUR DE FRANCE,
LES CYCLISTES
ABSORBENT JUSQU'À
9 000 CALORIES
PAR JOUR.
C'EST
COMME S'ILS
MANGEAIENT **25**

HAMBURGERS AU FROMAGE.

EN CHINE, ON A PEINT, SUR UNE PISTE DE COURSE, DES **CORRIDORS TOURNANTS À ANGLES DROITS** PLUTÔT QUE DES CORRIDORS COURBES.

UNE BALLE DE PING-PONG PROPULSÉE **PAR UN CANON À AIR COMPRIMÉ A FRANCHI LE MUR DU SON.**

Surya Bonaly est la seule **patineuse artistique** qui a réussi à atterrir sur un **seul patin** après un **salto arrière.**

Les premiers patins à glace étaient faits avec des os d'animaux.

Un bateau de jetsprint peut atteindre **129 km/h**, (80 mi/h) et comprend une **cage de retournement** au cas où **le pilote** ferait **un tonneau.**

LORS D'UNE COURSE, LES PILOTES DE CES EMBARCATIONS DOIVENT *CHANGER DE DIRECTION* UNE **TRENTAINE DE FOIS** EN MOINS D'UNE MINUTE.

PENDANT UNE PARTIE DE BASEBALL DE LA LIGUE MAJEURE,

UNE BALLE A REBONDI SUR LA TÊTE D'UN VOLTIGEUR AVANT DE PASSER PAR-DESSUS LA CLÔTURE...

POUR UN CIRCUIT.

Un joueur de hockey professionnel avait l'habitude de tremper son bâton dans **la toilette** avant chaque partie parce que ça lui portait chance.

Le polo peut aussi se jouer debout sur un **gyropode**, un véhicule motorisé à deux roues, plutôt que sur un cheval.

DÉROULER DES BOYAUX D'ARROSAGE, GRIMPER DES ESCALIERS ET TIRER DES MANNEQUINS SONT DES ÉPREUVES AUX **JEUX DES POMPIERS.**

Au *Sepak Takraw,* un sport d'origine asiatique, les joueurs doivent faire passer la balle par-dessus le filet sans utiliser les mains ou les bras.

IL Y A UN JOUEUR DE FOOTBALL

**QUI A UNE RÉPLIQUE
DE SON MAILLOT**

FAITE EN BONBONS.

CERTAINS
AMATEURS DE
QUILLES
PRÉFÈRENT JOUER
AVEC UNE DINDE
CONGELÉE AU LIEU
D'UNE BOULE.

SELON LA TRADITION,
LE GAGNANT DES
500
MILES
D'INDIANAPOLIS
DOIT BOIRE UNE
BOUTEILLE DE LAIT
À LA FIN DE LA COURSE.

La
**queue de
cheval**
d'Andre Agassi,
une grande vedette
du tennis,
a été **exposée**
dans un restaurant
de **New York.**

Un **skieur de vitesse** peut aller plus vite qu'un **parachutiste** à l'horizontale en chute libre.

Il a déjà fallu repousser des parties de basketball professionnel parce que des **chauves-souris** avaient envahi le terrain.

Le **squash** tire ses origines d'un sport de raquette joué par des **prisonniers anglais** du **18e** siècle.

DES ÉQUIPES DE FOOTBALL EN MONOCYCLE ORGANISENT DES PARTIES DANS DES **TERRAINS DE STATIONNEMENT.**

En Afrique du Sud, on peut faire de la **descente en eau vive** dans un **cratère** vieux de deux milliards d'années.

LORS D'UNE PARTIE DE FOOTBALL À SEATTLE (WASHINGTON), AUX ÉTATS-UNIS, LES PARTISANS ONT ÉTÉ SI TURBULENTS QU'ILS ONT PROVOQUÉ UN PETIT **TREMBLEMENT DE TERRE.**

LA PLUS VIEILLE PERSONNE À AVOIR LANCÉ LA PREMIÈRE BALLE À L'OCCASION D'UN MATCH DE BASEBALL DE LA LIGUE MAJEURE ÉTAIT UNE FEMME DE 108 ANS.

Chaque année, des **adultes** font une course en dévalant une route sinueuse de San Francisco (Californie), aux États-Unis, sur des **tricycles** **pour enfants.**

Les **plongeurs en apnée** professionnels peuvent descendre à **200 mètres** (656 pi) sans reprendre leur souffle. C'est plus de deux fois la hauteur de la statue de la Liberté.

UN LANCEUR DE BASEBALL PROFESSIONNEL A DÛ MANQUER TROIS PARTIES PARCE QU'IL S'ÉTAIT FOULÉ LE POIGNET... EN JOUANT À UN JEU VIDÉO.

UN ATHLÈTE D'UNE ÉCOLE SECONDAIRE A DÉJÀ ATTRAPÉ UN **BALLON DE FOOTBALL** D'UNE SEULE MAIN PENDANT QU'IL FAISAIT UN SALTO ARRIÈRE.

Un joueur de soccer brésilien **s'est rasé la tête** pour qu'elle ressemble à un **ballon de soccer.**

UN JOUEUR DE GOLF PROFESSIONNEL S'EST DÉJÀ FAIT VOLER SA BALLE PAR UN OISEAU EN PLEIN MILIEU D'UN TOURNOI.

PENDANT UNE PARTIE DE BASEBALL DE LA LIGUE MINEURE EN ILLINOIS, AUX ÉTATS-UNIS, UNE

MOUFETTE

S'EST AVENTURÉE SUR LE TERRAIN ET L'A RAPIDEMENT EXPLORÉ AVANT DE S'ENFUIR PAR LA PORTE DU CHAMP GAUCHE.

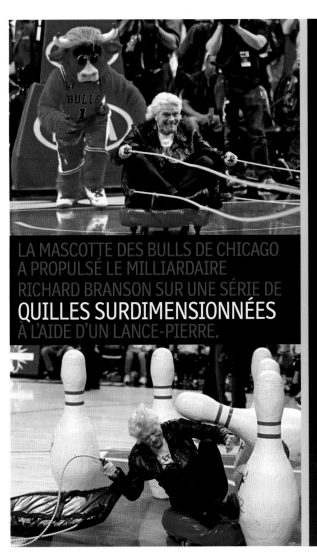

LA MASCOTTE DES BULLS DE CHICAGO A PROPULSÉ LE MILLIARDAIRE RICHARD BRANSON SUR UNE SÉRIE DE **QUILLES SURDIMENSIONNÉES** À L'AIDE D'UN LANCE-PIERRE.

Pendant qu'il était à bord de la **Station spatiale internationale,** un **astronaute** a pris des photos des **stades de baseball** de la ligue majeure vus de **l'espace.**

AU DÉBUT D'UN MATCH, LES **LUTTEURS DE SUMO** SE RINCENT LA BOUCHE AVEC DE L'EAU, PUIS LANCENT DU SEL DANS LES AIRS.

On offre des cours où tu peux apprendre à faire de **l'escrime** avec un **sabre laser.**

LES PREMIÈRES **RONDELLES DE HOCKEY** ÉTAIENT FAITES DE **BOUSE DE VACHE** GELÉE.

LA GARE GRAND CENTRAL TERMINAL DE NEW YORK ACCUEILLE DES MATCHS DE SQUASH.

Au **Kaiju Big Battel,** des lutteurs s'affrontent déguisés en monstre.

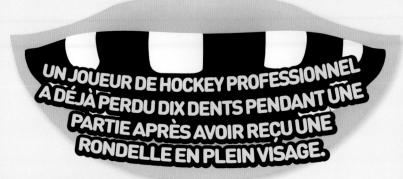

UN JOUEUR DE HOCKEY PROFESSIONNEL A DÉJÀ PERDU DIX DENTS PENDANT UNE PARTIE APRÈS AVOIR REÇU UNE RONDELLE EN PLEIN VISAGE.

Tous les membres d'un **club de football** de Liverpool, en Angleterre, ont autographié la **voiture** d'un de leurs plus grands **admirateurs.**

Un étudiant universitaire a homologué un nouveau record mondial en réussissant à faire **huit cubes Rubik** en deux minutes et cinq secondes... sous l'eau.

AU **SOCCER DE BOUE,** LES JOUEURS COURENT SUR UN TERRAIN OÙ LA BOUE LEUR ARRIVE À MI-GENOU.

LE BUT DU JEU DE FOWLING EST D'ABATTRE LES QUILLES DE SON ADVERSAIRE AVEC UN BALLON DE FOOTBALL.

Robbie « **Maddo** » Maddison, adepte du motocross **style libre,** a exécuté **une pirouette arrière** en passant d'un tablier à l'autre du pont **Tower Bridge** de Londres, en Angleterre, **sans** tenir le volant.

UN PEU D'HISTOIRE

LES SPORTS
AU FIL DU TEMPS

PING-PONG :
VERS 1880

BALLE MOLLE :
1887

JEU DE PALET :
IL Y A PLUS DE 500 ANS

PLANCHE À ROULETTES : VERS 1950

SKI NAUTIQUE : 1922

VOLLEYBALL : 1895

LE FURETEUR

Les illustrations sont indiquées en **caractères gras.**

LE FURETEUR

LE FURETEUR

Catalogage avant publication de Bibliothèque et Archives Canada

Titre: Bizarre mais vrai! Les sports / texte français du Groupe Syntagme.
Autres titres: Weird but true! sports. Français.
Collections: National Geographic kids.
Description: Mention de collection: National Geographic Kids | Traduction de :
Weird but true! sports. | Comprend un index.
Identifiants: Canadiana 20200411985 | ISBN 9781443189354 (couverture souple)
Vedettes-matière: RVM: Sports—Miscellanées—Ouvrages pour la jeunesse.
| RVM: Curiosités et merveilles—Ouvrages pour la jeunesse.
Classification: LCC GV707 .W3514 2021 | CDD j796—dc23

Édition publiée par les Éditions Scholastic, 604, rue King Ouest, Toronto (Ontario) M5V 1E1,
avec la permission de National Geographic Partners, LLC.

5 4 3 2 1   Imprimé en Chine 38   21 22 23 24 25

Conception graphique : Rachael Hamm Plett, Moduza Design
Direction artistique : Julide Obüz Dengel

Depuis 1888, National Geographic Society a financé plus de 12 000 projets de recherche scientifique, d'exploration
et de préservation dans le monde. La société reçoit des fonds de National Geographic Partners, LLC, provenant notamment
de votre achat. Une partie des produits de ce livre soutient ce travail essentiel. Pour plus de renseignements,
veuillez vous rendre à natgeo.com/info.

NATIONAL GEOGRAPHIC et la bordure jaune sont des marques de commerce de National Geographic Society,
utilisées avec autorisation.

L'éditeur tient à remercier Jen Agresta pour sa gestion efficace du projet, Hillary Leo de Royal Scruff pour
son talent d'éditrice photo, ainsi que Sarah Wassner Flynn et Alison Stevens, qui ont fait de longues
recherches pour dénicher d'innombrables faits farfelus sur les sports.

RÉFÉRENCES PHOTOGRAPHIQUES

Toutes les illustrations sont signées MODUZA DESIGN, sauf indication.

Couverture et dos : (chien), Juniors Bildarchiv GmbH/Alamy; (médaille), Michael Fair/iStockphoto; 2 (chien), Juniors Bildarchiv GmbH/Alamy; 2 (dos), istockphoto/Getty Images; 4-5, gracieuseté de Ben Groen; 7, Artshots/Shutterstock; 8-9 (HA), Joe Belanger/Shutterstock; 10-11 (planche de surf), Steve Collender/Shutterstock; (tous les chiens), Eric Isselee/Shutterstock; 12 (HA), Daniel Huerlimann-BEELDE/Shutterstock; 12 (BA), Digital Vision Collection CD; 14 (ARRIÈRE-PLAN), AP Photo/Alastair Grant; 14 (EN MÉDAILLON), Melissa Madia/Getty Images; 16 (HA), Sever180/Shutterstock; 16 (BA GA), Evgeny Dubinchuk/Shutterstock; 16 (BA DR), Cristian Baitg/Getty Images; 17 (GA), nuwatphoto/Shutterstock; 17 (DR), Vetal/Shutterstock; 18 (ARRIÈRE-PLAN), Russell Marini/Shutterstock; 18 (GA), Nicole Blade/Getty Images; 20-21, Ralph Orlowski/Getty Images; 22-23, James Steidl/Shutterstock; 24, Caroline Chia/picture alliance/ANN/Newscom; 25, Nanette Grebe/Shutterstock; 26, Print Collector/Getty Images; 27 (ARRIÈRE-PLAN), Chinchoi/Dreamstime.com; 27 (DR), Jan Pokorn/Dreamstime.com; 28-29, Steve Lipofsky/Corbis; 30, 8 + 8 Concept Studio; 33, Steve Cukrov/Shutterstock; 34-35, Gino and Sharon Photography; 36, Franck Fife/Getty Images; 37, t_kimura/Getty Images; 40-41, RJ Sangosti/Getty Images; 43, gracieuseté des White Sox de Chicago; 45, Iurii Osadchi/Shutterstock; 46-47, Fuse/Getty Images; 48, Trinity Mirror/Mirrorpix/Alamy; 51, Robert Gauthier/Getty Images; 52-53, Design Pics Inc/Alamy; 54, gracieuseté de Michael Furrh; 55, Valentina Proskurina/Shutterstock; 56, gracieuseté de Lonnie Bissonnette; 58-59 (ARRIÈRE-PLAN), Dabarti CGI/Shutterstock; 59, photomaster/Shutterstock; 60, Debra Mather; 63, Tony Bain, Green Dragon Activities; 64-65, Barcroft/Getty Images; 69, AFP/Getty Images; 70-71 (ARRIÈRE-PLAN), Bob Martin/Getty Images; 70 (en médaillon), Clive Brunskill/Getty Images; 71 (DR), Zheltyshev/Shutterstock; 73, George Marks/Getty Images; 74, Chris Cole/Getty Images; 76-77, Mitch Gunn/Shutterstock; 79, Dan Thornberg/Shutterstock; 81, Saverkin Alexsander/Newscom; 82-83, Carsten Koall/Getty Images; 84, gracieuseté d'Aker Solutions; 86, Helen Atkinson/Reuters/Corbis; 88-89, Mike Broglio/Shutterstock; 91, Athena Picture Agency Ltd; 94-95, Corey Rich/Aurora Photos; 95 (DR), Tewan Banditrukkanka/Shutterstock; 96, Bike Forest; 98, Matthew Chattle/REX Shutterstock/Newscom; 99, Michael Cole/Corbis; 100-101, Veri Sanovri Xinhua News Agency/Newscom; 102, Luca_Zennaro European Press Agency/Newscom; 104, Ruta Production/Shutterstock; 105, abaghda/Shutterstock; 106-107, Michael Maloney/San Francisco Chronicle/San Francisco Chronicle/Corbis; 110, CB2/ZOB/fournie par WENN.com/Newscom; 111 (HA DR), David Cannon/Getty Images; 111 (HA GA), Bob Thomas/Getty Images; 111 (BA DR), Bob Thomas/Getty Images; 111 (BA GA), Choo Youn-Kong/Getty Images; 112-113 (HA), Jiang Dao Hua/Shutterstock; 113 (BA), windu/Shutterstock; 116-117, Kaliva/Shutterstock; 118 (GA), gracieuseté de l'École des beaux-arts de l'Université de la Caroline du Nord; 118 (DR), gracieuseté du Collège Trinity Christian; 119 (GA), Lance King/Getty Images; 119 (HA DR), Lance King/Getty Images; 119 (BA DR), gracieuseté de l'Université Santa Cruz de la Californie; 121, LOOK Die Bildagentur der Fotografen GmbH/Alamy; 122, Misael Montano/STR/Getty Images; 124-125, Shi Yali/Shutterstock; 126, Africa Studio/Shutterstock; 127, Dan Merkel/ZUMA Press/Newscom; 128, Karl-Josef Hildenbrand/Getty Images; 129 (ARRIÈRE-PLAN), moj0j0/Shutterstock; 130-131, Caters News/ZUMA Press/Newscom; 132, Acro-Cats dba Amazing Animals by Samantha; 134, Peter Parks/Getty Images; 136-137, AFP/Getty Images; 137, Olaf Speier/Shutterstock; 138, Jorge Villegas Xinhua News Agency/Newscom; 140, The AGE/Getty Images; 142-143, Pierre Jacques/Hemis/Corbis; 144, Tony Larkin/REX/Newscom; 145, Scott W. Grau/Icon SMI/Newscom; 147, Kim Kyung Hoon/Reuters; 148-149, Herbert Kratky/Shutterstock; 150, Emmanuel Dunand/Getty Images; 157, Jan Pitman/Getty Images; 158, Dave Sandford/Getty Images; 160-161, Nathan Hoover/ZUMAPRESS/Newscom; 162, Sampics/Corbis; 165, David Cannon/Getty Images; 166, hinnamsaisuy/Shutterstock; 168 (ARRIÈRE-PLAN), Bryn Lennon/Getty Images; 168 (GA), riv/Shutterstock; 170, Jean-Yves Ruszniewski/TempSport/Corbis; 172-173, Quinn Rooney/Getty Images; 175, Peter Endig/dpa/picture-alliance/Newscom; 176, Mohd Fyrol/Getty Images; 178-179, Mitchell Gunn/Getty Images; 181, Chen WS/Shutterstock; 183, Christine H. Wetzel/ZUMAPRESS/Newscom; 184-185, maczkus/Getty Images; 187, tezzstock/Shutterstock; 188 (BA), Eric Isselee/Shutterstock; 188 (HA), Nengloveyou | Dreamstime.com; 189 (HA), AP Photo/Charles Rex Arbogast; 189 (BA), AP Photo/Charles Rex Arbogast; 190-191, J. Henning Buchholz/Shutterstock; 193, Bryan Smith/ZUMA Press/Newscom; 195, Lehtikuva OY/REX/Newscom; 196-197, Paul Gilham/Getty Images; 197, Michael Regan/Getty Images; 198 (HA), mama_mia/Shutterstock; 198 (BA GA), bikeriderlondon/Shutterstock; 198 (BA DR), Huntstock/Shutterstock; 199 (HA GA), lzf/Shutterstock; 199 (HA DR), Bull's-Eye Arts/Shutterstock; 199 (BA), Digital Vision/Getty Images.

Voici d'autres livres de la collection *Bizarre mais vrai!*